EDICIÓN ORIGINAL

Redacción: Agnès **Vandewiele**, Michèle **Lancina**
Dirección editorial: Françoise **Vibert-Guigue**
Edición: Brigitte **Bouhet**
Dirección artística, concepción gráfica y realización:
F. **Houssin** & C. **Ramadier** para **Double**, París.
Dirección de la publicación: Dominique **Korach**

EDICIÓN ESPAÑOLA

Dirección editorial: Jordi **Induráin Pons**
Edición: Àngels **Casanovas Freixas**
Realización: José M. **Díaz de Mendívil**
Cubierta: Francesc **Sala**

© 2005, ÉDITIONS LAROUSSE
© 2014, LAROUSSE EDITORIAL, S.L.
Mallorca 45, 2ª planta, 08029 Barcelona
Tel. 93 241 35 05 Fax: 93 241 35 07
larousse@larousse.es / www.larousse.es

ISBN: 978-84-15785-83-5
Depósito legal: B.2614-2014
2E1I

Colección **MINI** LAROUSSE

DELFINES Y BALLENAS

Ilustraciones de **Nathalie Choux**

LAROUSSE

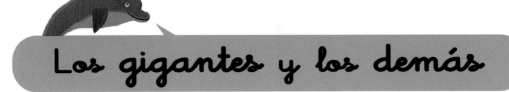

Los gigantes y los demás

La ballena azul es **el animal más grande
y más pesado del mundo**:
¡mide tanto de largo como 4 autobuses juntos
y pesa más que 20 elefantes!

Las marsopas y los delfines son mucho más pequeños que las ballenas. Pero todos son **cetáceos**.

Mamíferos en el mar

Las ballenas, las orcas, los delfines
y las marsopas viven en el mar.
Tienen **aletas**...
¡pero **no son peces**!

8

Son **mamíferos**, como los perros
o los gatos, las vacas o las ovejas,
los monos o las personas, porque las
crías maman leche.

¿Peces o mamíferos marinos?

Los peces tienen la **sangre fría**. Respiran bajo el agua cogiendo el oxígeno con sus branquias. Si los sacas fuera del agua, mueren.

Las ballenas tienen la **sangre caliente**. Su temperatura es de 37 °C, como la nuestra.

Los peces respiran **bajo el agua**.

Las ballenas respiran **en la superficie**.

Los peces ponen **huevos**.

Los ballenatos salen del vientre de su mamá y **maman** leche.

Los peces tienen **espinas**.

Las ballenas tienen **huesos**.

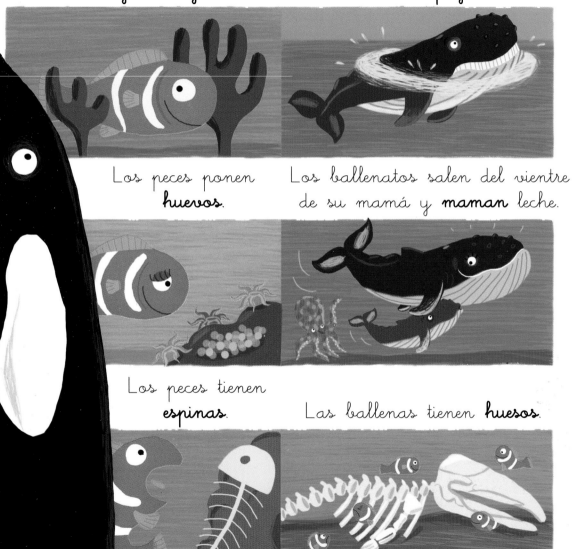

11

Cada uno es como es

Las ballenas tienen
2 **narices** para respirar.

2 aleta

barbas

La ballena dispone
de una **capa de grasa**
bajo la piel que la
protege del frío.

La ballena y el delfín tienen un **cuerpo** alargado y la **piel lisa** para deslizarse mejor por el agua. Respiran gracias a sus **pulmones**.

El delfín sólo tiene una **nariz**.

2 **aletas**

dientes

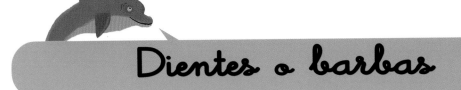

Dientes o barbas

Existen **dos grandes familias** de cetáceos:
los que tienen **dientes**, como el cachalote,
el delfín, la marsopa...

... y los que en vez de dientes
tienen **barbas**: las ballenas.

Las **barbas** son unas láminas duras y muy finas con las que la ballena atrapa diminutas quisquillas, como si fuese un peine gigante.

Los cetáceos con barbas

La **ballena jorobada** tiene dos aletas enormes.

La **ballena azul** es la más grande.

16

La **ballena gris** es... gris, con manchas claras.

La **ballena franca** tiene una gran barbilla.

17

Los cetáceos con dientes

Los delfines, las marsopas, los cachalotes,
las ballenas blancas (o belugas), las orcas...
tienen **dientes**.

Los **delfines**
tienen un **pico**
y un **bulto** en
la cabeza.

DELFÍN COMÚN

MARSOPAS

Las **marsopas**
son más
pequeñas y
no tienen
pico.

Los **zifios** tienen un
pico **alargado**.

La **beluga** es blanca
y sus crías, grises.

El **narval**
tiene un **colmillo**
muy
largo.

La **orca** es el delfín más **grande**.

El **cachalote**
tiene una **gran**
cabeza.

19

Nadar, bucear, respirar

Cada cierto tiempo, las ballenas y los delfines tienen que salir a la superficie para **respirar**.

Aspiran el aire fresco y lanzan el aire respirado por la nariz, lanzando un gran chorro de agua.

Las ballenas jorobadas
nadan **de espalda**.
Nadan a toda velocidad,
juegan a perseguirse,
golpean el agua
con su enorme cola,
saludan con su aleta...

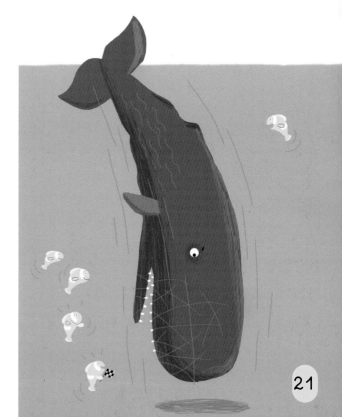

El cachalote
es el campeón
del **buceo**.

21

¡Menudos bebés!

La mamá ballena azul espera a su cría durante **once meses**.
La ballena azul cuida a su pequeño ballenato.

Cuando sale del vientre de su madre...

el ballenato lo hace por la **cola**, para no ahogarse.

Cuando nace, un ballenato es ¡**más grande** que un elefante!

Enseguida sube a la superficie para **respirar**.

Las **mamas** de su madre expulsan chorros de **leche**.

Le encanta **jugar** con su mamá, patinar con las aletas sobre su espalda y frotarse contra su vientre.

Bebés delfines

Otra mamá delfín ayuda a la mamá a dar a luz: es la madrina.

La mamá **da de mamar** al bebé hasta que le salen los dientes.

24

La madrina
ayuda al bebé
a subir a la
superficie para que
respire por
primera
vez.

Las crías
viven en
medio del
grupo bajo la
vigilancia de
una abuela.

En caso de peligro,
el bebé se esconde
bajo el vientre de su mamá.

Un largo viaje

Las ballenas pasan el verano en los **mares fríos** donde encuentran mucha comida.

Comen todo lo que pueden para almacenar **reservas** de grasa antes del gran viaje.

En invierno, nadan miles de kilómetros para llegar hasta los **mares cálidos** y dar a luz a sus crías. Entonces, dejan de comer.

¿Qué comen los cetáceos?

Los animales **más grandes** del mundo se comen a los **más pequeños**.

Los **delfines** comen peces, langostas, pulpos, sepias... Los cazan con los dientes y se los comen **de un bocado**, sin masticarlos.

La **orca** es el único cetáceo que usa los dientes para despedazar a sus presas.

El **cachalote** se sumerge a gran profundidad para buscar su plato preferido: el **calamar** gigante.

Las **ballenas con barbas** toman unos gigantescos
tragos de agua que vuelven a expulsar cerrando
la boca. Miles de quisquillas minúsculas quedan
atrapadas en sus barbas.

El canto de las ballenas

Los delfines producen sonidos que las personas no podemos oír.

Estos sonidos se llaman **clics**. Si un delfín envía una señal de socorro, todos los demás van en **su ayuda**.

Las ballenas **macho** cantan en el agua.

La beluga **gorjea y silba** como un pájaro. Se le llama el canario de los mares.

Las ballenas emiten sonidos que las demás ballenas oyen desde **muy lejos**.

El narval lanza unos **gritos agudos**.

Auténticos acróbatas

Las ballenas **saltan mucho**. Hacen unas piruetas extraordinarias y se dejan caer de espaldas formando una enorme ola de espuma.

Los delfines son los campeones de los **saltos** y las **piruetas**.

Surfean sobre las olas siguiendo a los barcos.

Saltan mientras nadan y les encanta **jugar** con el agua.

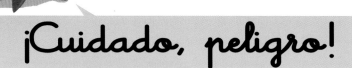

¡Cuidado, peligro!

Durante siglos, los pescadores se dedicaron
a la **pesca** de la ballena.
Hoy en día, está **prohibida**.

Sus barcos se llamaban **balleneros**.
Era una pesca muy **peligrosa**.

La grasa de las ballenas se empleaba para hacer velas y jabón. Con sus barbas, se hacían varillas… de paraguas.

Hoy, los delfines están amenazados por la **contaminación**. Muchas veces quedan **atrapados** en las redes de los pescadores.

Récords

EL MÁS GRANDE

La **ballena azul** es el animal más grande y más pesado del mundo.

EL CORAZÓN MÁS GRANDE

Su corazón es igual de grande que un **coche pequeño**.

LA LENGUA MÁS PESADA

¡Su lengua pesa tanto como un **elefante**!

EL QUE MÁS DIENTES TIENE

Los **delfines** pueden tener hasta 260 dientes, diez veces más que un niño.

LA BOCA MÁS GRANDE

Las barbas de la **ballena de Groenlandia** son largas como una casa.

EL MEJOR SUBMARINISTA

El **cachalote** puede estar bajo el agua, sin respirar, alrededor de una hora y media.

LA MÁS ARTÍSTICA

Cuando canta, la **ballena jorobada** puede producir más de mil sonidos distintos.

37

9